CB134797

filtro solar

Ilustrações
Mariana Newlands

Mary Schmich

filtro solar

Tradução
Pedro Bial

SEXTANTE

Publicado originalmente com o título: *Wear Sunscreen*
Copyright © 1998 por Mary Schmich
Copyright da tradução © 2004 por Editora Sextante (GMT Editores Ltda.)
Todos os direitos reservados.

tradução
Pedro Bial
tradução do prefácio
Cláudio Figueiredo
revisão
Sérgio Bellinello Soares
capa, projeto gráfico e ilustrações
Mariana Newlands
fotolitos
RR Donnelley América Latina
impressão e acabamento
Yangraf Gráfica e Editora Ltda.

CIP-BRASIL. CATALOGAÇÃO-NA-FONTE
SINDICATO NACIONAL DOS EDITORES DE LIVROS, RJ

S373f Schmich, Mary
Filtro solar
/ Mary Schmich ; tradução Pedro Bial, Cláudio Figueiredo (prefácio).
– Rio de Janeiro : Sextante, 2004.
il.

Tradução de: Wear sunscreen
ISBN 85-7542-135-2

1. Máximas. 2. Meditações.
I. Bial, Pedro. II. Figueiredo, Cláudio III. Título.

04-1668. CDD 818
CDU 821.134.3 (81)-84

Todos os direitos reservados, no Brasil, por
Editora Sextante (GMT Editores Ltda.)
Rua Voluntários da Pátria, 45 – Gr. 1.404 – Botafogo
22270-000 – Rio de Janeiro – RJ
Tel.: (21) 2286-9944 – Fax: (21) 2286-9244
Central de Atendimento: 0800-22-6306
E-mail: atendimento@esextante.com.br
www.esextante.com.br

INTRODUÇÃO

A maioria de nós leva a vida numa correria que mal nos deixa tempo para pensar. Num dia comemos, bebemos, fazemos compras, dormimos, escovamos os dentes. No dia seguinte, fazemos tudo de novo. De vez em quando, em meio ao torpor com que nos ocupamos de nossas tarefas rotineiras, somos assaltados pela clara percepção de como nós vivemos e de como gostaríamos de viver, e constatamos com alguma angústia que as duas coisas não coincidem.

Estava entregue a pensamentos elevados desse tipo certo dia de maio enquanto caminhava às margens do lago Michigan rumo ao meu trabalho na redação do *Chicago*

Tribune. Escrevo uma coluna para o jornal três vezes por semana e, naquela manhã, com o prazo de fechamento de mais uma coluna se aproximando a toda velocidade, tive uma série de idéias sobre a vida, mas nem uma única idéia para a minha coluna.

Então eu a vi, uma mulher na casa dos vinte anos sentada à beira do lago, com o rosto na direção do sol para receber os pálidos raios dos dias de maio. "Espero que aquela mulher esteja usando filtro solar", disse com meus botões.

Compreendi naquele momento que tinha chegado a uma fase perigosa da vida, a fase na qual a pessoa é tomada pelo desejo de distribuir conselhos aos outros para tentar se redimir dos próprios erros. Também me dei conta de que aquela era a época das formaturas nos Estados Unidos, quando oradores de toda parte podiam semear palavras de sabedoria sem medo de parecer ridículos.

Muito bem, ninguém tinha me convidado para ser oradora de uma formatura. Por que não fazer de conta que alguém tinha me chamado?

Gastei uma tarde, movida a xícaras de café e chocolates M&M's, escrevendo um discurso de formatura que eu leria se alguém se desse ao trabalho de me convidar. Estimulei os leitores a tentar escrever seus próprios discursos, basicamente como uma maneira de descobrir como resumiriam as lições de sua vida.

A coluna foi publicada no jornal de 1.º de junho de 1997, um domingo. E foi só isso.

Até dois meses mais tarde.

Numa sexta-feira do mês de agosto, tomei conhecimento de que alguém, um desconhecido, em algum momento desconhecido, por uma razão desconhecida, tinha tirado minha assinatura do falso discurso de formatura e o havia posto para circular no cyberespaço. Lá fora, no vasto mundo sem fronteiras e sem lei da Internet, um nome diferente e legendário foi acrescentado ao texto: Kurt Vonnegut.

Em pouco tempo minha despretensiosa coluninha estava ricocheteando pela Web afora, indo da Inglaterra para a Austrália, da Costa Rica para o Japão e daí para a Nova Zelândia, disfarçada como um discurso de formatura proferido pelo escritor de setenta e cinco anos numa cerimônia no MIT, o Instituto de Tecnologia de Massachusetts. Quando o equívoco sobre a identidade do "discurso do filtro solar" foi afinal esclarecido publicamente, o caso tinha virado assunto do noticiário nacional, mais um exemplo, divulgado à exaustão, da força e dos perigos da Internet. Apesar de toda a publicidade, ninguém jamais chegou a descobrir como ou por que eu havia me transformado em Kurt Vonnegut.

Seja lá qual tenha sido a origem dessa confusão, continuei a me espantar e a me sentir agradecida pelo fato de tanta gente em tantos lugares ter gostado dessas poucas palavras. Mesmo agora, pessoas de todo o mundo ainda me mandam e-mails dizendo que tinham acabado de receber o discurso ou sido informadas sobre sua verdadeira origem. Alguns me perguntam se tenho outros conselhos.

Não tenho. A não ser este:

Façam o seu trabalho. Nunca se sabe quando a rotina da vida vai nos encantar e surpreender.

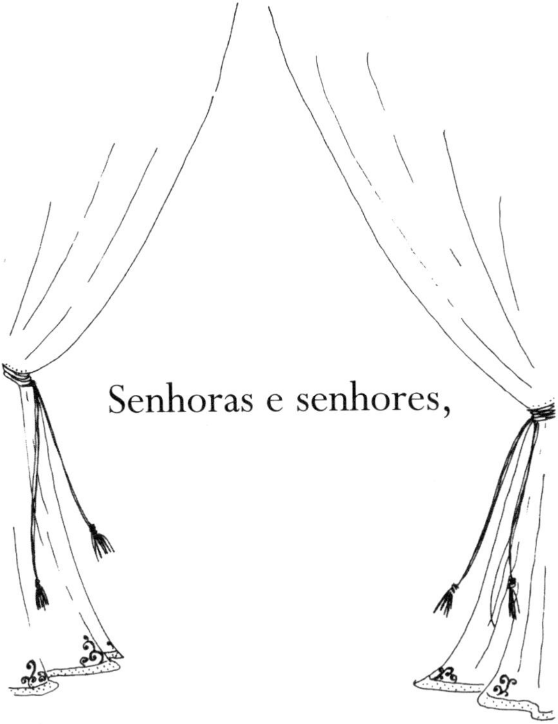

Senhoras e senhores,

filtro solar!

Nunca deixem de usar filtro solar!

Se eu pudesse dar uma só dica

sobre o futuro, seria esta:

use filtro solar.

Os benefícios a longo prazo
do uso de filtro solar
estão provados e comprovados
pela ciência;

já o resto de meus conselhos
não tem outra base confiável
além de minha própria
experiência errante.

Mas agora
eu vou compartilhar
esses conselhos com vocês.

Aproveite bem, o máximo que puder, o poder e a beleza da juventude.

Ou, então, esquece...

Você nunca vai entender mesmo

o poder e a beleza da juventude até

que tenham se apagado.

Mas, pode crer, daqui a vinte anos, você vai evocar as suas fotos e perceber, de um jeito que você nem desconfia hoje em dia, quantas tantas alternativas se escancaravam à sua frente, e como você realmente tava com tudo em cima.

Você não está gordo! Ou gorda...

Não se preocupe com o futuro.

Ou então preocupe-se, se quiser,

mas saiba que

pré-ocupação é tão eficaz quanto

mascar chiclete para tentar

resolver uma equação de álgebra.

f = 82
497 - 58
295 - 74
208
54 - 12
- 29 x

As encrencas de verdade de sua vida tendem a vir de coisas que nunca passaram pela sua cabeça preocupada, e te pegam no ponto fraco às quatro da tarde de uma terça-feira modorrenta.

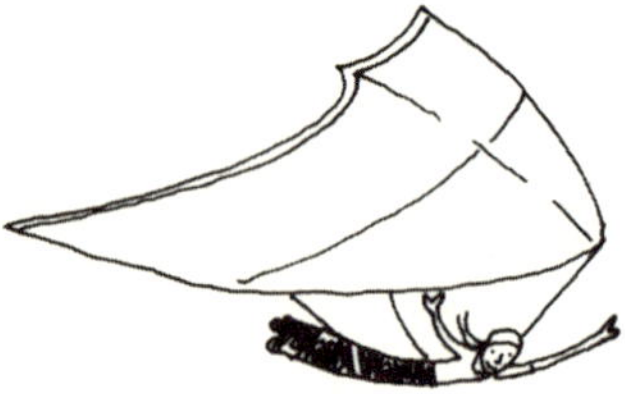

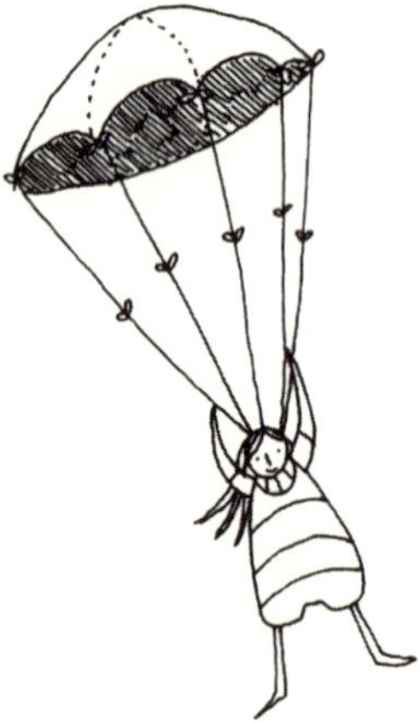

Todo dia

enfrente

pelo menos

uma coisa

que te

meta medo

mesmo.

Cante!

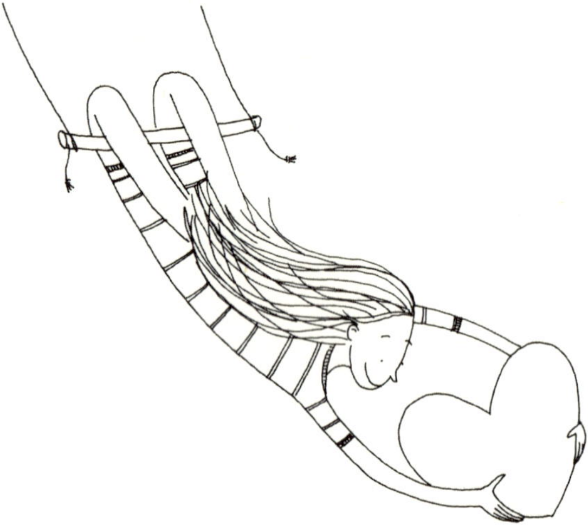

Não seja leviano
com o coração dos outros.

Não ature gente
de coração leviano.

Use fio dental.

Não perca tempo com inveja.

Às vezes se está por cima,
às vezes por baixo.
A peleja é longa e, no fim,
é só você contra você mesmo.

Não esqueça
os elogios que receber.

Esqueça as ofensas.

Se conseguir isso, me ensine.

Guarde as antigas cartas de amor.

Jogue fora

os extratos bancários velhos.

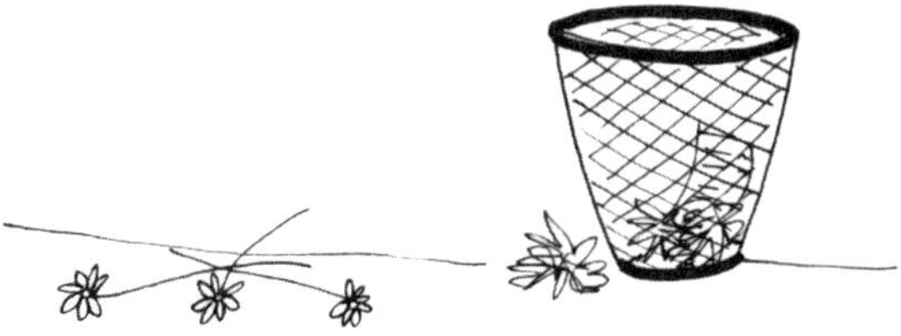

Estique-se.

Não se sinta culpado por não
saber o que fazer da vida.

As pessoas mais interessantes
que eu conheço não sabiam,
aos vinte e dois,
o que queriam fazer da vida.

Alguns dos quarentões
mais interessantes que eu conheço
ainda não sabem.

Tome bastante cálcio.

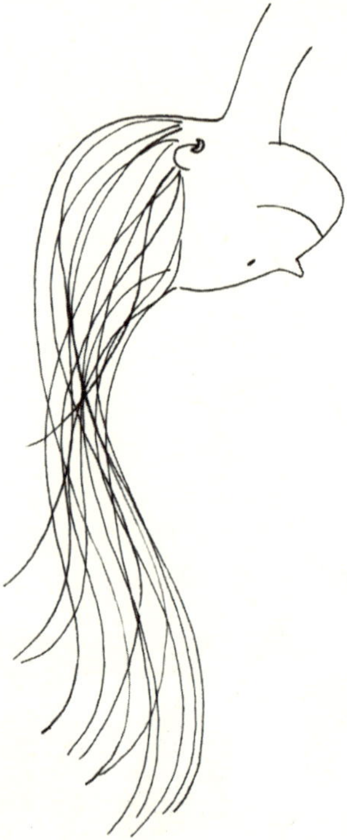

Seja cuidadoso com os joelhos.

Você vai sentir falta deles.

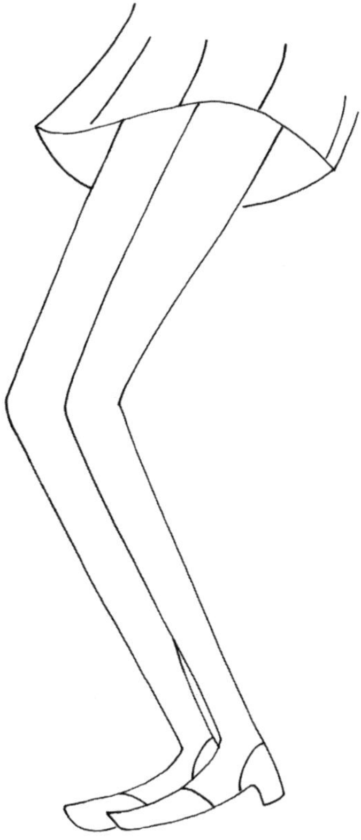

Talvez você se case, talvez não.

Talvez tenha filhos, talvez não.

Talvez se divorcie aos quarenta,

talvez dance ciranda em suas
bodas de diamante.

Faça o que fizer,
não se autocongratule demais,
nem seja severo demais com você.

As suas escolhas têm sempre
metade das chances de dar certo.

É assim pra todo mundo.

Desfrute de seu corpo.

Use-o de toda maneira que puder.

Mesmo.

Não tenha medo de seu corpo
ou do que as outras pessoas
possam achar dele.

É o mais incrível instrumento que

você jamais vai possuir.

Dance!

Mesmo que não tenha onde,

além de seu próprio quarto.

Leia as instruções,

mesmo que não vá segui-las

depois.

Não leia revistas de beleza.

Elas só vão fazer
você se achar feia.

Dedique-se a conhecer os seus pais.

É impossível prever quando eles
terão ido embora, de vez.

Seja legal com seus irmãos.

Eles são a melhor ponte com seu passado e possivelmente quem vai sempre mesmo te apoiar no futuro.

Entenda que os amigos

vão e vêm,

mas nunca abra mão de uns

poucos e bons.

Esforce-se de verdade para
diminuir as distâncias geográficas
e de estilos de vida,
porque, quanto mais velho
você ficar, mais você vai precisar
das pessoas que conheceu
quando jovem.

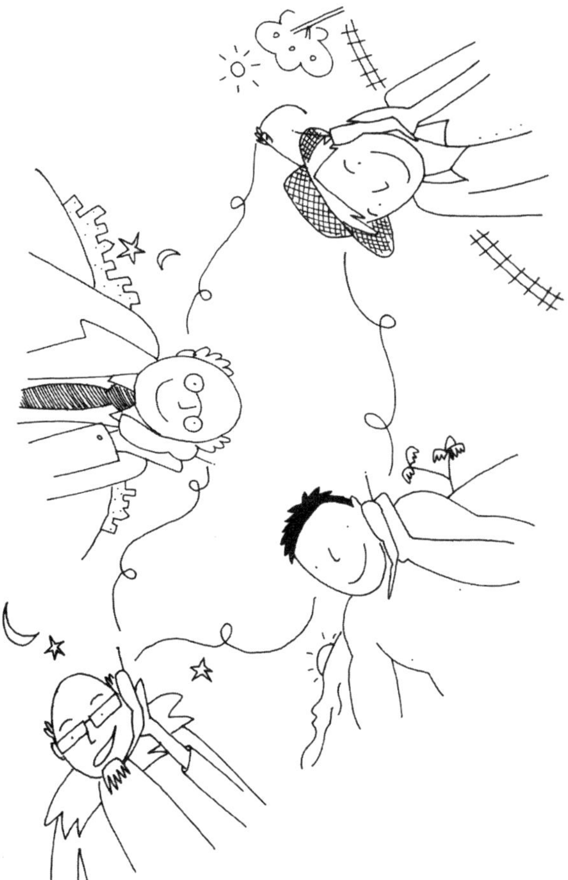

More uma vez em Nova York,

mas vá embora
antes de endurecer.

More uma vez no Havaí,

mas se mande
antes de amolecer.

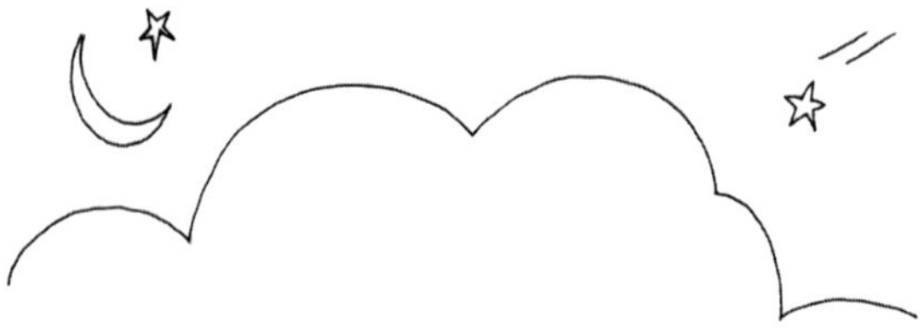

Viaje!

Aceite certas verdades

inescapáveis:

Os preços vão subir.

Os políticos vão saracotear.

Você, também, vai envelhecer.

E, quando isso acontecer,
você vai fantasiar
que quando era jovem

os preços eram razoáveis,

os políticos eram decentes

e as crianças respeitavam
os mais velhos.

Respeite os mais velhos.

E não espere que ninguém
segure a sua barra.

Talvez arrume uma boa
aposentadoria privada.

Talvez se case com um bom partido.

Mas não esqueça que um dos dois
pode de repente acabar.

Não mexa demais nos cabelos,
senão, quando você chegar
aos quarenta, vai aparentar
oitenta e cinco.

Cuidado com os conselhos
que comprar,
mas seja paciente com aqueles
que os oferecem.

Conselho
é uma forma de nostalgia.

Compartilhar conselhos
é um jeito de
pescar o passado do lixo,
esfregá-lo,
repintar as partes feias
e reciclar tudo,
por mais do que vale.

Mas, no filtro solar, acredite.

FPS

CONHEÇA OUTROS TÍTULOS DA EDITORA SEXTANTE

Dominique Glocheux

A vida é bela

Só se vive uma vez. Então é preciso aproveitar cada momento. Descobrir o valor das coisas simples, dos pequenos tesouros escondidos que tornam a vida bela. Esse pequeno manual vai segurar sua mão e levar você para um passeio dentro de si mesmo. Ele vai despertar idéias, sentimentos e desejos que estavam adormecidos. Abra as portas de seu coração e as janelas de sua alma, saboreando cada um dos quinhentos e doze conselhos reunidos aqui. Conquiste sua felicidade!

Ernie J. Zelinski
Levando a vida numa boa

A felicidade requer trabalho, mas não um trabalho intenso, como acredita a maioria das pessoas. A felicidade requer que se preste atenção à vida. Por isso, todos deveríamos ter um pequeno livro como esse para ser consultado de tempos em tempos.

Jack Canfield e Mark V. Hansen
Histórias para aquecer o coração
(Edição de bolso)

Essa edição de bolso foi criada para que novos leitores possam conhecer as divertidas e transformadoras histórias dessa coleção, bem como presentear amigos, familiares e colegas, expressando através desse livro o quanto desejam que eles sejam felizes.
Cada uma das histórias fala do extrordinário poder de superação que tem a vida, da força com que ela nos impele a enfrentar desafios e ultrapassar dificuldades. Acreditamos que elas servirão de apoio em tempos de crise e frustrações e de conforto nos momentos de dúvida, dor e perda.
Elas alegram, comovem, reacendem a esperança e estimulam o desejo de empenhar-se para viver plenamente. Elas se tornarão sobretudo companheiras fiéis e sábias, capazes de ajudá-lo a entender seus sentimentos e a realizar mais livremente suas escolhas. São histórias que fazem bem à alma e aquecem o coração.

Sua Santidade, o Dalai-Lama
Palavras de sabedoria

Esse pequeno livro contém ensinamentos essenciais sobre o budismo e foi escrito pelo Dalai-Lama, um dos maiores líderes espirituais do nosso tempo.
Essas lições associam a sabedoria antiga à compreensão dos problemas da vida moderna e nos estimulam a refletir sobre a importância do amor, da compaixão e da necessidade da responsabilidade individual.

Thich Nhat Hanh
Sinta-se livre onde você estiver

Inspirado numa palestra apresentada num presídio americano, esse livro é uma síntese dos ensinamentos essenciais de Thich Nhat Hanh. De forma simples e comovente, ele nos mostra como a prática da mente desperta pode nos libertar.
O mestre budista nos ensina a viver o momento presente, ficando atentos a cada ato do dia-a-dia – desde fazer uma refeição até caminhar. Essa é a fonte da felicidade e da liberdade com que tanto sonhamos.

Francisco Daudt da Veiga
O amor companheiro

"O amor companheiro é o acolhimento da nossa maior autenticidade, o descanso dos papéis sociais representados, a tolerância sem superioridade com nossas mesquinharias e nossos momentos de alma pequena, quando nada vale a pena. É o único lugar onde se pode falar abobrinhas alternadas com as mais sérias confidências, aquilo que se fala para quem se confia, em quem se tem fé, em quem se acredita."

Francisco Daudt da Veiga

Hal Urban
As grandes lições da vida

O que é essencial? Hal Urban responde a esta pergunta reunindo as vinte lições de vida que precisamos aprender para alcançar o sucesso e a felicidade. Sem propor fórmulas mágicas ou métodos fantásticos, esse livro nos fala de valores eternos como respeito, bondade, honestidade, compromisso e trabalho duro, e nos ensina a dar valor ao que realmente é importante em nossa vida.

Antoine de Saint-Exupéry
Felicidade, amor e amizade

O clássico *O pequeno príncipe* vem fascinando leitores há sessenta anos com seu lirismo e sua sabedoria, que apenas aparenta ser simples. Agora, pela primeira vez, citações extraídas de toda a obra de Saint-Exupéry foram reunidas em um só livro.

Essa pequena antologia é um presente para os fãs do autor e uma oportunidade para quem deseja conhecer um pouco mais sobre seus escritos.

Bradley Trevor Greive
Um dia "daqueles" – Edição de bolso

"Quando escrevi *Um dia 'daqueles'*, quem poderia imaginar que um livro sem maiores pretensões transformaria a minha vida? Além de me dar motivos para rir, ele fez com que pessoas do mundo inteiro partilhassem comigo uma forma tão especial de ver a vida.

Fico emocionado em saber que tantas pessoas ficaram felizes em ler meus livros e espero que essa edição especial lhe dê uma razão para sorrir quando você precisar. Funcionou comigo muitas vezes e sei que vai funcionar com você também."

Bradley Trevor Greive

Leonardo Boff

O Senhor é meu Pastor

Leonardo Boff nos oferece uma nova dimensão ao salmo do bom pastor e do hospedeiro generoso, ajudando-nos a assimilar uma mensagem que inspira, através dos séculos, pessoas de todas as tradições religiosas.
Transparente e comovedor, ele nos mostra que o medo é o reflexo da condição humana, feita de esperanças, desamparo e busca por conforto. Nós nos desesperamos achando que estamos abandonados, até que a força da fé transforma nossos sentimentos.

A oração de São Francisco

O autor transporta a oração de São Francisco para o mundo atual e apresenta sua origem, definindo a paz a que ela se refere, as causas que atentam contra a harmonia no mundo e a maneira de ser um autêntico instrumento de paz. Depois da leitura desse livro, sempre que pronunciarmos a oração, o nosso apelo estará fortalecido pelo espírito que fez desse santo um símbolo dos sonhos de felicidade e realização humana acalentados no fundo de nossos corações.

Douglas Adams
O guia do mochileiro das galáxias

Considerado um dos maiores clássicos da literatura de ficção científica, *O guia do mochileiro das galáxias,* o primeiro título da famosa série escrita por Douglas Adams, vem encantando gerações de leitores ao redor do mundo com seu humor afiado.
Ele conta as aventuras espaciais do inglês Arthur Dent e de seu amigo Ford Prefect. A dupla escapa da destruição da Terra pegando carona numa nave alienígena, graças aos conhecimentos de Prefect, um E.T. que vivia disfarçado de ator desempregado enquanto fazia pesquisa de campo para a nova edição do melhor guia de viagens interplanetário.

O Restaurante no Fim do Universo

A continuação das incríveis aventuras de Arthur Dent e seus quatro amigos através da Galáxia começa a bordo da nave Coração de Ouro, rumo ao restaurante mais próximo. Mal sabem eles que farão uma viagem no tempo cujo desfecho será simplesmente incrível.
O segundo livro da série de Douglas Adams mostra os cinco amigos vivendo as mais inesperadas confusões numa história repleta de sátira, ironia e bom humor.

CONHEÇA OS CLÁSSICOS DA SEXTANTE

– *O código Da Vinci,* de Dan Brown
– *A dieta de South Beach,* de Arthur Agatston
– *Os segredos da vida,* de Elizabeth Kübler-Ross e David Kessler
– *A nova lei de Murphy,* de Emmett C. Murphy
– *Muitas vidas, muitos mestres, Só o amor é real* e *Meditando com Brian Weiss,* de Brian Weiss
– *Conversando com os espíritos* e *Em busca da espiritualidade,* de James Van Praagh
– *A última grande lição,* de Mitch Albom
– *Enquanto o amor não vem,* de Iyanla Vanzant
– *A oração de São Francisco,* de Leonardo Boff
– *O ócio criativo,* de Domenico De Masi
– *Mantenha o seu cérebro vivo,* de Lawrence C. Katz e Manning Rubin

- *Por que os homens fazem sexo e as mulheres fazem amor?*, de Allan e Barbara Pease
- *Uma ética para o novo milênio* e *Palavras de sabedoria,* do Dalai-Lama
- *Histórias para aquecer o coração,* de Mark Victor Hansen e Jack Canfield
- *Os 100 segredos das pessoas felizes* e *Os 100 segredos das pessoas de sucesso,* de David Niven
- *Aprendendo a gostar de si mesmo,* de Louise Hay
- *Um dia "daqueles", Querida mamãe* e *O sentido da vida,* de Bradley Trevor Greive
- *Você é insubstituível, Dez leis para ser feliz* e *Seja líder de si mesmo,* de Augusto Cury
- *A vida é bela,* de Dominique Glocheux
- *Faça o que tem de ser feito,* de Bob Nelson
- *Não leve a vida tão a sério,* de Hugh Prather

Informações sobre os Próximos Lançamentos

Para receber informações sobre os próximos lançamentos da Editora Sextante, queira entrar em contato com nossa Central de Atendimento, dando seu nome, endereço e telefone para:

Editora Sextante
Rua Voluntários da Pátria, 45 – Gr. 1.404 – Botafogo
22270-000 – Rio de Janeiro – RJ
Tel.: (21) 2286-9944 – Fax: (21) 2286-9244
DDG: 0800-22-6306 (ligação gratuita)
E-mail: atendimento@esextante.com.br

Para saber mais sobre nossos títulos e autores, e enviar seus comentários sobre este livro, visite o nosso site:
www.sextante.com.br